Eoin Colfer
Tim und das Geheimnis
von Knolle Murphy

Für Seán –
Willkommen auf dieser Welt

Eoin Colfer

Tim und das Geheimnis von Knolle Murphy

Aus dem Englischen
von Brigitte Jakobeit

Mit Bildern von Tony Ross

Eoin Colfer, geboren im Südosten von Irland, hat schon als Kind Geschichten geschrieben. Die große Unterstützung durch seine Familie führte schließlich dazu, dass er nicht mehr mit dem Schreiben aufhörte. Außerdem unterrichtete er mehrere Jahre in Saudi-Arabien, Tunesien und Italien. Nach den ersten literarischen Erfolgen mit seinen *Benny*-Romanen wurde er durch seine Romane um *Artemis Fowl* weltberühmt. Heute lebt er mit seiner Frau und seinem Sohn in Wexford, Irland. Bei Beltz & Gelberg erschienen von ihm *Tim und das Geheimnis von Captain Crow, Tim und der schrecklichste Bruder der Welt* sowie die Jugendromane *Benny und Omar* und *Benny und Babe.*

Die Tim-Romane sind auch als Beltz & Gelberg Hörbücher lieferbar.

www.beltz.de
© 2005 Beltz & Gelberg
in der Verlagsgruppe Beltz · Weinheim Basel
Alle deutschsprachigen Rechte vorbehalten
Die englische Originalausgabe erschien 2004 unter dem Titel
The Legend of Spud Murphy bei Puffin in der Penguin Group,
Penguin Books Ltd., London
Text © 2004 Eoin Colfer
Illustrationen © 2004 Tony Ross
Aus dem Englischen von Brigitte Jakobeit
Lektorat: Susanne Härtel
Einbandgestaltung: Max Bartholl unter Verwendung
einer Illustration von Tony Ross
Neue Rechtschreibung
Satz: Beltz & Gelberg, Weinheim
Druck: Druck Partner Rübelmann, Hemsbach
Bindung: Druckhaus »Thomas Müntzer« GmbH,
Bad Langensalza
Printed in Germany
ISBN 978-3-407-79898-5
    6 7 8 9 11 10 09 08 07

Inhalt

Kapitel 1

Der hässliche Frank

Ich habe vier Brüder. Stellt euch das vor. Fünf
Jungen, alle jünger als elf, die unter einem Dach
wohnen.

An verregneten Sommertagen ist es bei uns
zu Hause ziemlich voll. Wenn jeder zwei Freunde
mitbringt, dann drängeln sich so um die fünfzehn
Leute in unserem Haus. Mindestens acht davon
brüllen wie die Irren und der Rest muss immer
ganz dringend auf die Toilette. Die Spülung in
unserer Toilette geht ungefähr alle drei Monate
kaputt.

Als mein Papa eines Tages heimkam und
sah, wie drei Söhne und vier Fremde in Kriegsbemalung an den Vorhängen im Schlafzimmer
baumelten, beschloss er, dass etwas geschehen

müsse. Dass die Kriegsbemalung aus Mamas
Make-up-Tasche gestohlen war, machte die Sache
auch nicht gerade besser.

»Keiner bringt mehr Freunde mit nach
Hause!«, erklärte Papa, nachdem die Krieger von
ihren Eltern abgeholt worden waren.

»Das ist ungerecht«, sagte Marty, mein älterer

Bruder, der noch Streifen von Mamas Wimpern-
tusche auf den Wangen hatte. »Für mich ist diese
Strafe wirklich hart, weil ich beliebt bin, aber Tim
hat nur einen besten Freund, seinen Action-Man.«

Tim. Das bin ich. Ich liebe meinen Action-Man.

Plötzlich fingen Donnie, Bert und HP (halbe
Portion) auch an herumzumeckern. Aber nur, weil
sie kleine Brüder sind, und genau so schlagen sich
kleine Brüder durchs Leben. Mir ist klar, dass ich
genau genommen auch ein kleiner Bruder bin,
aber ich gehöre in die Große-Bruder-Hälfte der
Familie.

Es ist schon schlimm genug, wenn man einen
kleinen Bruder hat, aber gleich drei davon ist zu
viel Strafe für einen Menschen. Das ist selbst zu
viel Strafe für eine ganze Siedlung. Das Ärgerliche
bei kleinen Brüdern ist, dass sie nie für was aus-
geschimpft werden. Donnie, Bert und HP brau-
chen bloß ihre blauen Augen aufzuklappen und
ein bisschen mit der Unterlippe zu bibbern und
schon wird ihnen alles verziehen. Donnie, Bert
und HP könnten mir mit einer Axt den Schädel

einschlagen und sie würden trotzdem mit nur zehn Minuten ohne Fernsehen und einem strengen Blick davonkommen. Das Einzige, worin Marty und ich uns einig sind, ist, dass unsere drei jüngeren Brüder total verwöhnt sind.

»Dieses Haus ist ein Irrenhaus«, sagte Papa.

»Und er ist der Oberirre«, sagte ich und zeigte auf Marty.

»Ich rede jedenfalls nicht mit Puppen«, gab Marty zurück. Das saß.

»Action-Man ist keine Puppe.«

»Ruhe!«, sagte Papa zwischen zusammengebissenen Zähnen. »Wir müssen etwas für euch finden, womit ihr in den Ferien beschäftigt seid. Etwas, dass ihr rauskommt aus dem Haus.«

»Aber nicht meine Babys«, sagte Mama und nahm den Kleinen-Bruder-Trupp fest in die Arme. Donnie, Bert und HP belohnten sie mit dem vollen Babyprogramm – große Babyaugen, Zahnlückenlächeln und HP lutschte sogar am Daumen. Dieser Junge kennt wirklich keine Scham.

»Vielleicht nicht die drei Kleinen. Aber Tim

und Marty sind jetzt neun und zehn. Für sie könnten wir was suchen. Etwas Bildendes.«

Marty und ich stöhnten. Bildende Beschäftigungen sind die schlimmsten. Das ist wie Schule in den Ferien.

Marty versuchte uns zu retten. »Erinnert ihr euch noch an die letzte bildende Beschäftigung? Den Kunstkurs? Da war ich tagelang krank.«

»Das war deine eigene Schuld«, sagte Mama.

»Ich hab nur ein bisschen Wasser getrunken.«

»Man darf aber nicht das Wasser trinken, in dem andere ihre Pinsel auswaschen.«

Papa dachte nach. »Was ist mit der Bücherei?«, sagte er schließlich.

»Was soll damit sein?«, sagte ich und bemühte mich um einen lockeren Ton, aber mir drehte sich der Magen um.

»Ihr könntet euch beide dort anmelden. Und lesen. Das ist ideal. Solange ihr ein Buch lest, könnt ihr nichts anstellen.«

»Und es bildet«, fügte Mama hinzu.

»Ja, natürlich, bilden tut es auch«, stimmte Papa zu.

»Wie soll es denn bilden?«, fragte ich, völlig entsetzt bei der Vorstellung. »Ich bin lieber draußen und reite auf einem Pferd, als dass ich drinnen bin und über eins lese.«

Meine Mutter verwuschelte mir die Haare. »Mein lieber Tim, weil manchmal das einzige Pferd, auf dem du reiten kannst, in deinem Kopf ist.«

Ich hatte keine Ahnung, was das heißen sollte.

»Bitte nicht die Bücherei«, flehte Marty. »Das ist zu gefährlich.«

»Zu gefährlich? Wie kann eine Bücherei gefährlich sein?«, fragte Papa.

»Nicht die Bücherei«, flüsterte Marty. »Aber die Bibliothekarin.«

»Mrs Murphy?«, sagte Mama. »Das ist eine nette, alte Dame.«

Das Problem mit Erwachsenen ist, dass sie immer bloß das Äußere sehen. Aber Kinder kennen die wirkliche Wahrheit. Weil niemand uns Kindern auch nur ein Wort glaubt, vergessen die Leute bei uns ihre guten Manieren. Jedes

Kind in unserer Stadt wusste über Mrs Murphy
Bescheid. Sie war eine von denen, um die Kinder
einen großen Bogen machen. Genau wie um Miss
White, die Lehrerin mit dem bösen Blick, oder
um den alten Ned Sawyer, den Penner mit dem
sabbernden Hund.

»Sie ist keine nette, alte Dame«, sagte ich. »Die
ist total verrückt.«

»Tim! Wie abscheulich, so was sagt man
nicht.«

»Aber es stimmt, Mama. Sie hasst Kinder
und war früher Fährtenleserin in der Armee. Sie
hat in feindlichen Ländern Kinder aufgespürt.«

»Jetzt machst du dich aber wirklich lächer-
lich.«

»Sie hat ein Luftgewehr unter ihrem Schreibtisch«, fügte Marty hinzu. »Ein Luftgewehr, in
dessen Lauf eine ganze Kartoffelknolle passt.
Damit schießt sie auf Kinder, wenn sie Lärm in
der Bücherei machen. Deswegen sagen wir auch
Knolle Murphy zu ihr.«

Meine Mutter fand das alles sehr komisch.

»Eine Knollenknarre! Du würdest alles
behaupten, nur damit du kein Buch lesen musst.«

»Es stimmt!«, rief Marty. »Kennt ihr den häss-
lichen Frank aus Nummer 47?«

Meine Mutter versuchte einen strengen Blick
aufzusetzen.

«Du solltest den armen Frank nicht hässlich nennen«, sagte sie.

»Na ja, wie meinst du wohl, ist er so geworden? Sie hat ihn abgeknollt.«

Mama wedelte mit der Hand, als würden ihr zwei lästige Vögel um die Ohren fliegen.

»Ich hab genug gehört. Ihr beide geht nachmittags in die Bücherei und fertig. Wir machen euch ein paar belegte Brote.«

Bedrückt standen wir in der Küche. Mit belegten Broten war gegen Knolle Murphy und ihre Knollenknarre nicht viel auszurichten.

Kapitel 2

Auf dem Teppich bleiben

Natürlich fanden die kleinen Brüder das Ganze
urkomisch.

»Schön, dich gekannt zu haben«, sagte Donnie
und schüttelte mir die Hand.

»Jafohl«, sagte HP, das Wort zischelte durch
die Lücke, wo früher sein Schneidezahn war.
»Fön, dich gekannt fu haben.«

Fünf Jahre alt und schon ein Schlauberger.

»Krieg ich deinen Walkman?«, fragte Bert,
dabei hatte er ihn sich schon umgehängt.

Ich schlug mit meinem Action-Man nach den
beiden. »Hörst du das, Mama? Sie machen sich
lustig über uns.«

»Ach, das meinen sie doch nicht so«, sagte
Mama. »Nicht wahr, meine kleinen Männer?«

19

»Nein, Mama.«

Mama gab jedem ein Gummibärchen. Ich dachte, mir platzt gleich der Kopf, so ungerecht war das alles.

»Marty und Tim, geht jetzt nach oben und wascht euch den Rest von meinem Lippenstift ab. In zehn Minuten fahren wir los.«

Es gab kein Entkommen. Zehn geschlagene Minuten lang bettelten und jammerten wir, aber Mama gab keinen Millimeter nach.

»Die Bücherei wird euch gut tun«, sagte sie und schnallte uns im Auto auf dem Rücksitz an. »Vielleicht lernt ihr sogar etwas.«

Als wir losfuhren, drehten wir uns um und schauten zum Haus zurück. Donnie stand am Schlafzimmerfenster und führte ein kleines Stück für uns auf. Vorn auf sein weißes T-Shirt hatte er »Knolle« geschmiert, und er schimpfte eine kleine Figur aus, die auf dem Fensterbrett stand. Es war Action-Man. Donnie schimpfte immer heftiger und wilder, bis er mein armes Spielzeug schließlich an den Beinen packte und es aufs Fensterbrett knallte.

»Nein!«, schrie ich. »Anhalten! Donnie bringt
Action-Man um.«

Mama lachte. »Also wirklich, Tim. Donnie
bringt Action-Man um! Da musst du dir aber was
anderes ausdenken.«

Durch das Fenster konnte ich sehen, dass Bert
und HP wie die Wilden klatschten, als Donnie
einen Diener machte.

Mama war auf dem Weg in die Stadt und ließ
uns an der Bücherei aussteigen.

»Ich hol euch ab, wenn ich euren Vater vom
Büro aufgesammelt habe.«

Wir nickten, denn wir waren beide zu verängs-
tigt, um auch nur ein Wort herauszubringen.

Mama richtete ihre Finger wie zwei Pistolen
auf uns.

»Und lasst euch nicht abknollen, okay?«

Es sollte ein Scherz sein, aber wir konnten nicht lachen. Wir konnten nicht mal lächeln. Wenn Mama zurückkam und sah, wie unsere Gesichter durch matschige Kartoffeln entstellt waren, würde es ihr noch Leid tun.

»Also, ab mit euch und die Treppe rauf. Ich

bleibe noch ein Weilchen hier, damit ihr auch wirklich reingeht.«

Ich knurrte leise. Wir hatten vorgehabt, uns ein paar Stunden hinten im Hof zu verstecken. Mama war klüger, als wir dachten.

Wir stiegen die Betontreppe zur Bücherei hinauf. Ich beschloss, als Erster zu gehen, weil Marty es so wollte.

Wahrscheinlich fragt ihr euch, wovor wir solche Angst hatten. Bestimmt meint ihr jetzt, dass wir feige Angsthasen waren, die lieber zu Hause bleiben und ihre Namen auf Taschentücher sticken sollten. Aber das kommt nur daher, weil ihr denkt, Büchereien sind fröhliche, interessante Orte, wo Bibliothekarinnen Kinder wirklich mögen. Und die meisten sind vielleicht auch so, aber die hier war anders. In dieser Bücherei lasen ernsthafte Männer ernsthafte Bücher und niemand durfte auch nur das leiseste Lächeln zeigen. Für ein Lächeln konnte man rausfliegen, für ein Kichern mit Knollen beschossen werden. Und wer laut lachte, wurde niemals wieder gesehen.

Ein kleiner Junge kam aus der Bücherei
gerannt und knallte direkt gegen Marty. Tränen
liefen ihm übers Gesicht und jemand hatte ihn
anscheinend am Schal herumgeschleift.

Er packte Marty am Pullover. »Geht da nicht
rein!«, rief er. »Um Himmels willen, lasst es sein.
Ich war einen Tag zu spät mit *Fünf Freunde auf*

Schmugglerjagd. Nur einen Tag. Und guckt euch an, was sie mit mir gemacht hat.«

Und dann rannte der Junge einfach weiter, zog einen zerknitterten Schal hinter sich her, und nur eine Tränenpfütze bewies, dass er überhaupt hier gewesen war.

»Warte!«, riefen wir der fliehenden Gestalt nach. »Sag uns, was Knolle mit dir gemacht hat!«

Aber vergeblich. Der Junge war auf dem Rücksitz eines dunklen Autos verschwunden und brauste in Richtung Sicherheit davon.

Vor der Bücherei war eine verglaste Veranda. An den Wänden der Veranda hingen Plakate über Sachen wie Lesegruppen und Kunstwettbewerbe. Alles sehr bildend. Trotzdem schauten wir uns die Bilder auf den Plakaten an. Wir hätten alles getan, um den Gang in die Bücherei und die Begegnung mit Knolle Murphy hinauszögern zu können. Wir blieben auf der Veranda stehen, bis Mama die Treppe hochkam und ans Fenster klopfte. Wir hatten keine andere Wahl, wir mussten reingehen.

Es war genau, wie ich befürchtet hatte. Drinnen gab es nichts als Bücher. Bücher, die bloß darauf warteten, dass sie von den Regalen hüpfen und mich zu Tode langweilen konnten. Mir war, als würden sie mich von ihren Regalen aus beobachten. Ich stellte mir vor, wie sie sich mit den Ellbogen anstießen.

»Seht mal«, sagten sie. »Schon wieder zwei
Kinder, denen es zu gut geht. Das werden wir
ihnen bald austreiben.«

Die Bücherei schien sich ewig auszudehnen.
Reihe um Reihe von hölzernen Bücherregalen,
die unten mit dem Fußboden und oben mit der
Decke verschraubt waren. Jede Reihe hatte eine
Leiter mit Rollen am oberen Ende. Auf diesen
Leitern hätte man prima rutschen können, aber

es bestand null Chance, dass man Kindern hier drin irgendeinen Spaß erlauben würde.

»Was wollt ihr?«, fragte eine Stimme vom anderen Ende der Bücherei.

Schon die Stimme ließ mein Herz schneller schlagen. Sie klang, als würden zwei verrostete Eisenstücke aneinander gerieben.

Ich hielt die Luft an und blickte durch den riesigen Raum. Eine ältere Frau lehnte an einem klobigen Holzschreibtisch, ihre Fingerknöchel waren dicker als Eicheln. Sie hatte ihre grauen Haare so straff nach hinten gebunden, dass ihr die Augenbrauen halb auf der Stirn hingen. Sie sah gleichzeitig überrascht und verärgert aus. Das war zweifellos Knolle Murphy.

»Ich hab gefragt, was ihr wollt!«, wiederholte sie und knallte mit einem Tintenstempel auf den Schreibtisch.

Wir klammerten uns aneinander wie zwei verschreckte Äffchen und gingen zu ihr hinüber. Auf dem Schreibtisch stand eine ganze Schachtel voller Stempel und zwei weitere waren wie Revolver in ihren Gürtel gesteckt.

Knolle Murphy funkelte von hoch oben auf uns herab.

Sie war riesig.

Größer als mein Papa und breiter als Mama
und meine zwei Tanten zusammengenommen.
Ihre Arme waren dünn wie bei einem Roboter und
ihre Augen hinter der Brille erinnerten an zwei
schwarze Käfer.

»Mama sagt, wir müssen uns in der Bücherei
anmelden«, sagte ich. Ein ganzer Satz. Nicht
schlecht unter den gegebenen Umständen.

»Das hat mir gerade noch gefehlt«, grummelte
Knolle. »Zwei Gören, die meine Regale durch-
einander bringen.« Sie nahm einen Füller und
zwei Karten aus ihrer Schublade.

»Name?«

»M-M-Mrs Murphy«, stammelte ich.

Knolle seufzte. »Nicht mein Name, Dumm-
kopf. Eure Namen.«

»Tim und Martin Woodman!«, rief ich wie
ein Soldat. Wir hatten ihr unsere Namen heraus-
gegeben und als Nächstes kam unsere Adresse.
Das machte mir leichte Sorgen. Jetzt wusste
Knolle, wo wir wohnten, und konnte uns auf-
spüren, wenn wir jemals vergessen sollten, ein
Buch zurückzubringen.

Die Bibliothekarin füllte die Karten aus und
stempelte sie mit dem Büchereiwappen.

»Rosa Ausweise«, sagte sie und gab sie uns.
»Rosa heißt Kinder. Rosa heißt, ihr bleibt im
Bereich für Kinderbücher.«

Marty bemerkte, dass die Toiletten bei den
Erwachsenenbüchern waren.

»Und wenn wir mal ... müssen?«

Knolle warf den Stempel zurück in die
Schachtel und knallte den Deckel zu.

»Denkt voraus«, sagte sie. »Geht vorher zu
Hause.«

Durch lange Gänge mit Holzfußboden führte
uns Knolle zum Bereich mit den Kinderbüchern.

An den Füßen trug sie Wollpantoffeln, mit denen sie im Gehen die Bretter polierte.

»Das hier«, sagte sie und streckte einen knubbeligen Finger aus, »ist die Kinderabteilung.«

Die Abteilung war eigentlich nur ein einziger Regalkasten mit vier Bücherreihen. Auf dem Boden davor lag ein kleines, abgewetztes Stück Teppich.

»Und bevor ihr geht, macht ihr keinen einzigen Schritt von diesem Teppich herunter«, sagte sie mit warnender Stimme. »Auf was für jungenhafte Ideen ihr auch kommen mögt, vergesst sie. Bleibt auf dem Teppich, sonst gibt's Ärger.« Sie beugte sich ganz weit vor, bis ihre Käferaugen auf einer Höhe mit meinen waren. »Ist das klar?«

Ich nickte. Es war klar. Keine Frage.

Kapitel 3

Der Test

An unserem ersten Tag auf dem Teppich beschloss
Marty, dass wir Knolle testen sollten. Was genau
hatte sie damit gemeint, als sie sagte, es würde
Ärger geben, wenn wir den Teppich verließen?
Bedeutete Ärger eine ordentliche Standpauke?
Oder bedeutete Ärger, dass sie uns an den
Fingernägeln über eine Grube mit Alligatoren
hängen würde?

»Ich muss wissen, was ich mir erlauben
kann«, sagte Marty und band sich seinen Pullover
wie einen Latz um den Hals.

»Ich muss das nicht wissen«, sagte ich und
erinnerte mich an den Jungen, der völlig außer
sich an uns vorbeigerannt war. »Ich werde hier
sitzen bleiben und so tun, als würde ich lesen.«

»Du bist so ein Feigling«, sagte Marty. »Kein Wunder, dass Action-Man dein einziger Freund ist. Ich dagegen bin ein richtiger Held. Ich bin bereit, Risiken einzugehen.«

»Warum hast du dir deinen Pullover vor die Brust gebunden?«

»Das wirst du schon sehen, Weichei«, sagte Marty.

Mein großer Bruder ging außen am Teppich-

rand entlang und wollte so feststellen, ob Knolle
es bemerkte.

»Sie kann uns gar nicht sehen«, sagte er. »Wir
können tun, was wir wollen.«

Langsam machte ich mir Sorgen. Sobald ein
Junge etwas anstellte, neigten die Erwachsenen

dazu, die ganze Familie zur Rechenschaft zu ziehen.

»Was hast du denn vor?«, fragte ich.

Marty lächelte. »Am meisten kann man eine Bibliothekarin ärgern, wenn man Bücher an den falschen Platz zurückstellt.« Er rieb sich schadenfroh die Hände. »Sie finden das schrecklich. Das macht sie wahnsinnig.« Marty hatte viel Erfahrung damit, wie man Bibliothekare ärgern kann. Wir hatten zu Hause schon mehrere Mitteilungen aus der Schulbücherei bekommen. »Ich werde für unsere gute Knolle einfach ein paar Bücher umstellen. Bis sie es merkt, sind wir längst zu Hause und sehen fern.«

Marty legte sich auf den Bauch und schlängelte sich vom Teppich auf den Holzfußboden. Auf einer doppelten Wollschicht glitt er über die polierten Bretter. Ich musste es zugeben, Marty war der Größte.

Wie ein Krokodil, das den Nil hinunterschwimmt, robbte sich Marty fast lautlos zum nächsten Bücherregal. Er stieg auf das unterste

Brett und ließ sich dort reglos nieder. Auf dieser Seite der Bücherei war nur noch eine andere Person – ein kleiner Mann mit grauem Haar und buschigen Augenbrauen. Marty wartete, bis der Mann wegging, bevor er anfing Unruhe zu stiften.

Fast jedes einzelne Buch stellte er woanders hin. Er vertauschte Krimis mit Liebesromanen, Abenteuer mit Vogelbeobachtung und Garten-arbeit mit Modellflugzeugen. Knolle würde fuchs-teufelswild sein. Um alles noch schlimmer zu machen, wollte Marty die Informationszettel vertauschen, die am Ende der Regale hingen. Diese Zettel sagten dem Leser, welche Art von Buch jeweils dort zu finden war. Langsam langte Marty hoch und riss das Blatt herunter.

Plötzlich fiel ein Schatten auf meinen Bruder. Ein großer, harter Schatten, der zu einer großen, harten Person gehörte. Ich drehte mich um.

Knolle.

Vollkommen geräuschlos war sie aufgetaucht, wie eine japanische Ninja-Kriegerin.

Knolle stand mit gespreizten Beinen da und
ihre Hände schwebten über den Buchstempeln
an ihrem Gürtel. Marty hatte sie nicht gesehen
und hielt das Informationsblatt immer noch in
der Hand. Es war zu spät, um ihn zu warnen.

Ich konnte ihm nicht helfen.

Mit Lichtgeschwindigkeit bewegte Knolle ihre linke Hand, packte den Buchstempel und warf ihn in einer eleganten präzisen Bahn. Er sauste so schnell durch die Luft, dass es zischte. Marty drehte sich gerade noch rechtzeitig um und sah den mit Gummi beklebten Holzblock auf sich zufliegen. Zum Ausweichen war es zu spät. Er konnte nur noch die Augen schließen und wie eine kleine Katze quieksen.

Der Gummistempel schnappte sich das Informationsblatt aus Martys Hand, entriss es seinen Fingern und stempelte es an das Regal. Die Wucht des Wurfs war so gewaltig, dass das Blatt noch ein paar Sekunden dort verweilte, nachdem der Stempel schon zu Boden gefallen war. Zwei Worte waren in purpurroter Tinte auf dem Blatt zu sehen: BESCHÄDIGTES EXEMPLAR.

»Ich ahnte es«, sagte Knolle langsam. »Ich weiß immer, wenn ich einen Unruhestifter vor mir habe. Ich musste bloß einen Blick auf dich werfen, junger Mann, und schon wusste ich, dass du dich

von diesem Teppich machst, bevor ich wieder an meinem Schreibtisch sitze.«

»Sie haben mir eine Falle gestellt«, sagte Marty überrascht.

»Richtig. Ich habe hinter dem Regal gewartet. Der Pullovertrick war gut, aber während meiner Zeit hier habe ich schon viel schlauere Jungen als dich zur Strecke gebracht.«

Ganz vorsichtig und langsam stand Marty auf. »Tut mir Leid, Kno… Mrs Murphy. Ich werde den Teppich nie mehr verlassen.«

Knolle schlitterte auf ihren Pantoffeln über den Fußboden. »Dafür ist es zu spät. Da du den Teppich schon verlassen hast, kannst du jetzt auch den Schaden, den du angerichtet hast, wieder gut-machen.«

»Aber das sind hunderte von Büchern. Ich weiß nicht mehr, wo die alle gestanden haben.«

Knolle fuhr mit einem Finger am Regal entlang. »Jedes Buch hat eine Nummer. Dieser Bereich fängt bei fünfhundertsechzig an.« Sie zog ein Buch aus dem Regal. »Hier ist es. Ich hab den Anfang für dich gemacht. Wenn alle Bücher am richtigen Platz stehen, bis deine Mutter kommt und dich abholt, muss ich ihr vielleicht nicht sagen, dass du den Feueralarm ausgelöst hast.«

Marty fiel der Kiefer runter. »Aber … das stimmt doch gar nicht.«

Knolle stemmte ihre Hände auf die Hüften. »Das weiß ich wohl, und ich bin sicher, deine

Mutter wird dir das auch glauben. Außer natürlich, du hast schon öfter mal Ärger gemacht.«

Marty überlegte kurz, dann fing er an, die
Bücher, so schnell er konnte, wieder umzustellen.
Er wusste genau, wann er verloren hatte.

Zwei Stunden und vierzehn schmerzvolle
Papierschnitte später war Marty fertig. Er saß auf
dem Teppich und lutschte seine Finger.

»Das war gar nicht so schlimm«, sagte er auf
dem Weg zum Ausgang. »Ich hatte schon Lehrer,
die gemeiner waren als sie.«

Marty wurde schon wieder aufmüpfig.

»Marty! Hast du etwa den Stempel vergessen?
Sie hat dir fast den Kopf weggefetzt.«

»Ja, das war Klasse. Die muss stundenlang
üben. Glaubst du, sie würde wirklich sagen, dass
ich den Feueralarm ausgelöst habe?«

»Mir egal«, sagte ich. »Ich will nur noch weg
von hier.«

Marty ging geradewegs zurück zu Knolle. Ich
konnte es nicht fassen. Mama war draußen und
wartete im Auto. Durch die Schwingtür konnte ich

sie sehen. Wir waren fast in Sicherheit und Marty
marschierte zum Schreibtisch der Bibliothekarin.

»Entschuldigen Sie, Mrs Murphy.«

Knolle drehte langsam den Kopf wie eine
Panzerkanone. Ihre Augen zielten auf Marty.

»Martin Woodman. Will noch mehr. Hätte
gedacht, er macht einen weiten Bogen um mich.«

»Nur eine Frage, Mrs Murphy. Sie würden doch nicht wirklich sagen, dass ich den Feueralarm ausgelöst habe, oder?«

Knolle lächelte Marty an. Ihre Zähne sahen aus wie eine Reihe Eiszapfen.

»Ach, nein?«

»Nein, glaube ich nicht. Stempel werfen ist eine andere Sache. Das war übrigens Klasse.«

»Hat dir gefallen, was, Martin?«

»Und wie.«

Knolle öffnete die Schachtel auf ihrem Schreibtisch. »Da ist eine ganze Stempelsammlung drin.
Letzte Woche bekam ich einen, der könnte dir
gefallen. Er hat die Form von einem Piratenschiff.
Die meisten Jungen wollen, dass ich ihnen den

auf den Unterarm stemple, wie ein Tattoo auf
Zeit.« Sie wollte die Schachtel wieder schließen.
»Aber vielleicht bist du dazu noch zu jung.«

Marty rollte schon seinen Ärmel hoch. »Nein,
das wäre toll. Auf meinem Arm. Wenn das die
Jungs im Schwimmbad sehen!«

Knolle suchte einen Stempel aus und färbte ihn auf einem blauen Kissen ein.

»Bist du sicher, Martin? Das geht ein paar Tage lang nicht ab.«

»Ganz sicher. Stempeln Sie nur los.«

»Gut, wenn du sicher bist.«

Knolle grinste breit. »Na dann, halt still!« Die Bibliothekarin rollte den Stempel über Martys Unterarm. Vor und zurück, drei Mal. Als sie den Stempel hochhob, beugten wir uns vor, um das Piratenschiff zu betrachten.

Nur war es gar kein Piratenschiff. Es war ein kurzer Satz mit drei Worten: ICH LIEBE BARBIE.

»Ups«, sagte Knolle. »Falscher Stempel. Tut mir wirklich Leid.«

Marty brachte kein Wort heraus. Wenn das jemand auf seinem Unterarm las, würde man sich bis in alle Ewigkeit über ihn lustig machen.

»Ihr solltet euch lieber beeilen«, sagte Knolle und legte den Stempel wieder in die Schachtel zurück.

»Und vergesst nicht: Noch eins von euren

Spielchen und ich werde unangenehm. In diesem
Schreibtisch sind schlimmere Sachen als Stempel.«

Langsam gingen wir zur Tür. Marty hielt
seinen Arm von sich gestreckt. Man hätte meinen
können, er würde gar nicht zu ihm gehören.

Als er die Tür öffnete, rief Knolle ihm etwas
hinterher. »Übrigens, Martin«, sagte sie, »viel Spaß
beim Schwimmen.«

Kapitel 4

Ein gutes Buch

Bei den nächsten Besuchen in der Bücherei saß ich auf dem Teppich und tat so, als würde ich lesen. Ich saß und saß und war mir sicher, dass sich das Muster von dem abgewetzten, alten Teppich allmählich auf meinem Hintern abgedrückt hatte. Marty leckte fast die ganze Zeit seinen Unterarm, aber es nützte nichts. Der Stempel ging nicht ab und jetzt hatte er auch noch eine blaue Zunge. Manchmal kam Mama uns früher abholen und erwischte mich dabei, wie ich so tat, als würde ich lesen.

»Also, wenn das nicht ein Anblick ist, der jedes Mutterherz erfreut«, sagte sie. »Ich wusste, euch gefällt das Lesen, wenn ihr es nur erst mal probiert.«

Das war das Ende. Wir waren erledigt. Drei Nachmittage in der Woche, beschloss Mama, sollten wir zwei Stunden in der Bücherei verbringen.

Und so taten wir drei Mal in der Woche so, als würden wir lesen. Manchmal vergaßen wir still zu sein und dann stattete Knolle der Kinderbuchabteilung einen Besuch ab. Ich weiß noch, wie sie das erste Mal kam. Wir stritten uns gerade darüber, wem die Luft in unserem Zimmer gehörte. Ich sagte, dass Marty die Luft auf seiner Zimmerseite gehörte, aber er behauptete, dass ihm die Luft über dem Boden gehörte. Das bedeutete, dass ich auf das obere Bett klettern musste, nur damit ich atmen konnte.

Plötzlich fiel ein vertrauter Schatten über den Teppich und ließ mich erschaudern. Knolle stand da, mit gespreizten Beinen, an ihrem Gürtel hingen die schweren Stempel. Lautlos zog sie eine große Leselernkarte aus ihrer Tasche. Auf der Karte stand das Wort »Pst«! Wir verstanden die Botschaft.

Wir durften nicht streiten, wir durften nicht

schreien, wir durften keine lauten Körpergeräu-
sche von uns geben. Alles, was einem Jungen Spaß
macht, war uns verboten.

Oh, wie war das langweilig! Mein Kopf fühlte sich an, als würde er gleich abfallen und über den Holzfußboden rollen. Ich versuchte alles, um mir die Zeit zu vertreiben. Ich sah mir Filme im Kopf an, ich folgte dem Muster auf meinem Teppich-gefängnis, ich aß Papierstreifen aus den Büchern. Aber meistens träumte ich einfach bloß von Frei-heit.

Dann passierte eines Tages etwas Seltsames. Ich tat so, als würde ich ein Buch lesen mit dem Titel *Finn McCool, der Riese von Irland.* Da weckte etwas meine Aufmerksamkeit. Der erste Satz der Geschichte.

»Finn McCool«, stand da, »war der größte Riese in Irland.«

Der Satz hatte was. Er klang ... interessant. Ich beschloss, ein bisschen weiterzulesen. Nicht das ganze Buch, nie im Leben. Aber vielleicht noch ein paar Sätze.

Finn hatte ein Problem, hieß es in dem Buch. Angus MacTavish, der größte Riese in Schottland, wollte gegen ihn kämpfen.

Da konnte ich nicht mehr aufhören. Zwei Riesen, die gegeneinander kämpften! Vielleicht sollte ich nur herausfinden, wie es ausging. Also las ich die Seite zu Ende und dann las ich immer weiter. Und im nächsten Moment war ich in die Geschichte von Finn McCool und Angus MacTavish vertieft. Ich las von Abenteuern und Magie, von Schlachten und schlauen Plänen. Berge explodierten und Zauberer erschlugen Kobolde. Verzauberte Ziegen redeten und Prinzessinnen verwandelten sich in Schwäne. Es war eine andere Welt.

»Wollen wir gehen?«, sagte eine Stimme.

Ich blickte auf. Es war Mama.

»Was machst du denn hier?«, fragte ich.

Mama hielt Einkaufstüten in den Händen. »Was meinst du wohl, was ich hier mache? Wir müssen los.«

Ich drückte das Buch an meine Brust.

»Aber wir sind doch eben erst gekommen. Es ist erst ...«

Ich verstummte, weil ich die Uhr an der Wand

sah. Es war fünf. Fast zwei Stunden lang hatte ich gelesen. Ich schaute zu Marty hinüber. Der las immer noch! Ein Buch mit einem Bild von einem Drachen auf dem Umschlag. Was war hier eigentlich los?

»Kommt jetzt, euer Vater wartet bestimmt
schon.«

Zu meinem völligen Erstaunen merkte ich,
dass ich mein Buch mitnehmen wollte. Genau wie
Marty.

»Aber Mama ...«

»Ja, Marty?«

»Ich bin noch nicht mit meinem Buch fertig.«

»Ich auch nicht.«

Mama stellte ihre Einkaufstüten ab und drückte uns beide fest an sich. Mitten in der Öffentlich-
keit. Zum Glück trieben sich unsere Freunde nie in
Büchereien herum.

»Meinst du, Kno… äh … Mrs Murphy erlaubt
uns, die Bücher mitzunehmen?«

Mama hob die Taschen auf. »Natürlich. Ihr
habt doch eure Ausweise, oder?«

Kapitel 5

Runter vom Teppich

In den nächsten Wochen lief alles wunderbar. Es
war eine tolle Zeit. Jedes neue Buch öffnete die
Tür zu einer neuen Welt. Wir schipperten mit
Huckleberry Finn den riesigen Mississippi hinunter. Robin Hood brachte uns das Schießen mit Pfeil
und Bogen bei. Mit den Fünf Freunden fingen wir
hunderte von Einbrechern, und bei Robinson
Crusoe konnten wir nachlesen, wie man auf einer
Insel überlebt.

Solange wir unsere Bücher rechtzeitig zurück-
gaben und keinen Lärm auf dem Teppich mach-
ten, ließ Knolle Murphy uns in Ruhe. Ein paar Mal
musste sie uns die Pst!-Karte zeigen, aber etwas
richtig Schlimmes stellten wir nicht an. Bis...

Eines Montags ging uns der Lesestoff aus.

Wir hatten alle Bücher zweimal gelesen, sogar die Nancy-Drew-Geschichten. Wir saßen auf dem Teppich und fürchteten die Langeweile, die bestimmt bald einsetzen würde. Wie ungerecht.

Marty langweilte sich dermaßen, dass er wieder an seinem Unterarm leckte, obwohl der Barbie-Stempel schon lange verschwunden war.

Er hörte nur auf zu lecken, wenn er jammern wollte. »Was sollen wir denn bloß machen?«, stöhnte er. »Ohne Bücher kann ich hier nicht sechs Stunden in der Woche rumhocken.«

»Ich auch nicht.«

»Eine Tragödie ist das. Dabei stehen die Abenteuerbücher gleich da drüben.«

»Die Abenteuerbücher für Erwachsene. Aber wir haben bloß rosa Ausweise, hast du das vergessen?«

»Nein, aber wenn einer von uns so mutig wäre und da rübergehen würde. Nur ein Buch und unser Nachmittag wäre gerettet.«

Ich legte mir ein Buch auf den Kopf. »Nie

im Leben. Frag mich erst gar nicht. Ich hör dir sowieso nicht zu.«

Marty kam zu mir gekrochen. »Ach komm schon. Ich kann's nicht machen. Knolle lässt mich nicht aus den Augen.«

»Und was ist mit der Knollenknarre?«

Marty zwickte mich in die Backe. »Du bist

doch der Süße. Wenn sie dich erwischt, schenkt sie dir wahrscheinlich noch einen Lolli.«

»Nein, Marty«, flüsterte ich, falls Knolle mithörte.

»Du darfst auch meine Luft im Zimmer atmen.«

»Nein.«

»Du darfst auch mit mir und den Jungs rum-
hängen.«

»Da kann ich gut drauf verzichten.«

»Ich verrate dir, wo Action-Man begraben ist.«

Ich schnappte nach Luft. »Action-Man ist begraben?«

Marty wusste, dass er mich damit hatte. »Ja, irgendwo im Garten. Wahrscheinlich fangen die Würmer gerade jetzt an, ihn anzuknabbern.«

Was blieb mir da übrig? Action-Man brauchte mich und außerdem wollte ich wirklich was zum Lesen.

»Also gut, Marty«, zischte ich. »Ich mach's. Aber nur heute. Wenn du am Mittwoch ein Buch willst, musst du selber gehen.«

Marty klopfte mir auf die Schulter.

»Abgemacht«, sagte er. »Und jetzt los mit dir. Ich will was richtig Spannendes.«

Ich setzte einen Fuß vom Teppich auf den Holzfußboden. Er quietschte wie eine fiepsende Fledermaus.

Nur Sekunden später kam Knolle in ihren Pantoffeln über die polierten Bretter um die Ecke geschlittert.

»Pst«!, stand auf ihrer Karte.

»Entschuldigung«, flüsterte ich.

Sie blinzelte uns misstrauisch aus ihren Käferaugen an, ging aber weiter zur Abteilung mit den
Liebesromanen.

»Ich wusste, du schaffst es nicht, du alter
Feigling«, sagte Marty. »Nicht mal, wenn Action-
Man sich auf dich verlässt.«

Ich streckte Marty die Zunge raus. Noch gab

ich mich nicht geschlagen, nicht, solange Action-Man im Garten begraben lag.

Ich wollte Marty beweisen, dass ich kein alter Feigling war. Ich streifte meine Schuhe und Socken ab und versuchte es wieder. Ganz vorsichtig senkte ich meinen großen Zeh auf die Holzbretter, wie eine Maus, die eine Falle testet. Kein Quietschen. Nur herrliche Stille. So konnte es klappen. Im Moment waren keine Erwachsenen auf dieser Seite der Bücherei, also musste ich mich nur vor Knolle hüten. Ich machte einen kleinen Schritt. Dann noch einen.

Jeder Junge weiß, dass man dicht an der Wand entlangschleichen muss, wenn man lautlos über einen Fußboden gehen will. Ich hielt mich so dicht an der Wand, dass ich fast schon spürte, wie mir mein Schatten den Rücken kitzelte. Stück für Stück schlich ich mich zur Abenteuerabteilung heran. Jedes Fleckchen Haut auf meinem Körper schwitzte. Mir kam es vor, als würden sogar meine Zähne schwitzen. Was würde Knolle Murphy machen, wenn sie mich erwischte? Würde sie

mich stempeln oder abknollen? Wahrscheinlich abknollen. Einer aus der Familie war schließlich schon verwarnt worden.

Eine Leiter versperrte mir den Weg. Eine Bücherleiter mit Rollen am oberen Ende. Diese Leiter brauchte ich, damit ich an die Abenteuerbücher kam. Vorsichtig rollte ich sie an den

Regalen entlang zur Abenteuerabteilung. Sie
quietschte nicht ein einziges Mal. Knolle hatte
ihre Leitern gut geölt.

Nun konnte ich die Bücher sehen, genau
außerhalb meiner Reichweite. Langsam erklomm
ich die Leiter und wartete auf das Quietschen

und darauf, dass Knolle angewetzt kam. Ein Tritt, dann zwei, dann drei. Hoch genug, um nach einem Buch zu greifen. Ich machte mich so groß, wie ich nur konnte. Streckte mich von der Spitze meines großen Zehs bis zur Spitze meines Zeigefingers. Dann nahm ich ein Buch aus dem Regal und steckte es mir hinten in die Hose.

Geschafft! Ich musste nur wieder zurück zum Teppich.

Der Rückweg war genauso furchterregend. Ich schwitzte dermaßen, dass ich langsam Durst bekam. Die Entfernung zwischen mir und dem Teppich kam mir zehnmal länger vor als auf dem Hinweg, und jedes kleinste Geräusch, das ich verursachte, hallte an den hohen Wänden wider.

Aber ich konnte jetzt nicht stehen bleiben. Sonst würde mich Knolle garantiert auf ihrer nächsten Runde erwischen und ich würde bestimmt abgeknollt. Also machte ich einen schwitzenden Schritt nach dem anderen, bis die Leiter wieder an ihrem Platz und ich auf dem Teppich stand.

Marty zog mir das Buch aus der Hose. »Gut
gemacht, Tim. Hätte nie gedacht, dass du das
hinkriegst.«

»Jetzt sag's mir«, verlangte ich. »Wo liegt
Action-Man begraben?«

Marty grinste. »In der Spielzeugkiste, du
Trottel, wo er immer liegt.«

Mein großer Bruder hatte mich wieder mal reingelegt, aber ich war so erleichtert, dass ich nicht wütend sein konnte.

Wir schauten uns das Bild auf dem Umschlag an. *Spione in Sibirien* stand oben in goldenen Buchstaben. Darunter war ein Bild von einem Mann, der auf Skiern einen verschneiten Berg runtersaust.

Knolle konnte bestimmt aus hundert Metern Entfernung sehen, dass das ein Buch für Erwachsene war. Deshalb lieh sich Marty einen Umschlag

von einem Kinderbuch aus und faltete ihn über
Spione in Sibirien.

Ich zog meine Schuhe und Socken wieder an
und dann lasen wir den Rest des Nachmittags
glücklich und zufrieden. Die Spione amüsierten
sich prächtig mit ihren schnellen Autos und

Fallschirmen, und sie küssten jedes Mädchen, das ihnen begegnete. Auf das Küssen hätte ich gut verzichten können, aber der Rest war super. Es war das erste Mal, dass ich für längere Zeit so eng mit Marty zusammen war, ohne dass es zum Streit kam.

Um halb fünf versteckte Marty die *Spione in Sibirien* hinter einer Reihe mit Enid-Blyton-Büchern, und wir setzten uns gemütlich hin, um auf Mama zu warten. Ich muss zugeben, dass ich ungemein zufrieden mit mir war. Ich hatte die berüchtigte Knolle Murphy ausgetrickst. Ihre Verfolgungskünste waren meinem Verstand nicht gewachsen gewesen. Ich war der König der Bücherei.

Oder doch nicht?

Plötzlich schlitterte Knolle auf ihren Wollpantoffeln um die Ecke. Vor uns kam sie schleudernd zum Stehen und schnüffelte in der Luft, so wie einer dieser fiesen Hunde, wie Skinheads sie immer haben. Ihre Augenbrauen hingen irgendwie noch höher als sonst.

»Irgendwas stimmt hier nicht«, sagte sie mit ihrer rostigen Eisenstimme.

Wir lächelten unschuldig. Wie die meisten Jungen beherrschten wir ein unheimlich unschuldiges Lächeln.

Knolle funkelte uns böse an. »Unschuldig lächeln zieht nicht bei mir, meine jungen Herren. Außer ihr seid wirklich unschuldig. Und das bezweifle ich.«

Ich spürte mein Lächeln schrumpfen wie eine Banane, die von beiden Enden her verschlungen wird. Bleib ruhig, redete ich mir zu. Noch eine halbe Stunde, dann kommt Mama und rettet uns.

Knolle schlitterte in großen Kreisen über den Boden der Bücherei und forschte nach, ob etwas verändert war. Ihre Augen flitzten über das

polierte Holz, als wäre sie ein Adler, der eine Maus sucht. Schließlich kam sie an die Stelle, wo ich meine Reise begonnen hatte. Sie schlitterte daran vorbei.

Puh!

Dann blieb sie stehen und ging zurück.

O nein!

Etwas hatte ihre Aufmerksamkeit erregt. Etwas an genau der Stelle, wo ich gestanden hatte. Sie beugte sich tief hinunter zum Boden und folgte meinem Pfad zur Leiter.

»Zufall«, flüsterte Marty aus dem Mundwinkel. »Keine Angst.«

Knolle legte eine Hand auf die Leiter und schob sie am Regal entlang. Bei den Abenteuerromanen hielt sie an.

Das durfte nicht wahr sein!

Knolle stieg bis zur dritten Stufe hinauf und streckte einen knubbeligen Finger aus. Der Finger zeigte auf eine Lücke im Regal.

»Aha«, sagte sie.

Ich konnte es nicht fassen. Sie musste magi-

sche Kräfte haben. Ich saß tief in der Klemme.
Sehr tief.

Knolle stieg von der Leiter und schlitterte
herüber zum Teppich. Sie blieb vor uns stehen
und sagte drei Worte:

»Spione in Sibirien?«

Ich probierte es wieder mit meinem unschul-
digen Lächeln. »Wie bitte?«

»Spione in Sibirien. Einer von euch hat es aus
dem Abenteuerregal geholt. Rückt es raus!«

Inzwischen war meine Angst so groß, dass ich
überhaupt kein Wort mehr herausbrachte. Aber
den Kopf konnte ich noch schütteln. Nein, sagte
das Schütteln, ich war's nicht.

Marty war ein bisschen besser. »Ich würde
niemals gegen die Regeln der Bücherei verstoßen
und die Kinderabteilung verlassen«, sagte er mit
unschuldsvoller Miene. »Das wäre verkehrt und
meine Eltern wären schrecklich enttäuscht.«

Knolle spähte uns mit ihren Käferaugen an.
»So ist das also«, sagte sie. »Nun gut, dann möchte
ich, dass ihr euch beide hinlegt.«

Wir gehorchten und mit geschickten Bewegungen zog sie uns die Schuhe und Socken aus. Sie begutachtete unsere nackten Füße und entschied sich schließlich für mich.

»Steh auf«, kommandierte sie.

Ich tat, wie sie mir befohlen hatte. Jeder würde das tun, wenn Knolle drohend über ihm stand.

Sie packte mich unter den Armen und hob mich fünfzehn Zentimeter hoch.

»Ich glaube, du warst es, Tim«, sagte sie. »Weil du eine Spur hinterlassen hast.«

Welche Spur? Ich konnte doch keine Spur hinterlassen haben.

Knolle schlitterte zu der Wand, wo ich meine Reise begonnen hatte, und setzte mich dort genau auf meinen verschwitzten Fußabdrücken ab. Ich hatte tatsächlich eine Spur hinterlassen. Eine Spur von getrockneten Fußabdrücken.

»Und jetzt«, sagte sie streng, »gib mir die Spione in Sibirien.«

Ich war überführt. Eindeutig. Die Beweise sprachen gegen mich. Was sollte ich tun, außer ihr das Buch zurückzugeben und um Gnade zu bitten? Ich trottete zu den Kinderbüchern zurück und holte mein geborgtes Buch aus dem Regal.

Marty schüttelte angewidert den Kopf. »Schande über dich«, sagte er. »Wie konntest du nur gegen die Regeln der Bücherei verstoßen?«

Ich ignorierte ihn und überlegte mir fieberhaft,

welche Strafe Knolle mir wohl aufbrummen
würde.

»Hier«, sagte ich und gab ihr *Spione in Sibirien*.

Knolle schüttelte verwundert den Kopf.
»Warum hast du das getan? Hast du denn gar
keine Angst vor mir? Alle anderen Kinder haben
Angst.«

Im selben Augenblick traf ich die beste
Entscheidung des Nachmittags. Ich sagte ihr die
Wahrheit, oder wenigstens einen Teil davon.

»Ich wollte ein Buch«, sagte ich mit zittriger
Stimme.

»Ich hatte schon alle gelesen, die meisten
sogar zweimal. Ich musste mir einfach ein Buch
besorgen.«

»Obwohl du wusstest, dass ich dich vielleicht erwische?«

Meine untere Lippe wackelte wie ein roter Gummiwurm. »Das Risiko war es mir einfach wert.«

»Na, dann wollen wir mal!«, sagte Knolle. »Stell dich vor meinen Schreibtisch. Ich hab was für dich. Und es ist kein Stempel.«

O nein! Das Luftgewehr. Sie wollte mich abknollen. Es wurde Zeit, dass ich sie um Gnade bat.

»Aber ...«

»Kein Aber. Du kriegst, was du verdienst.
Mach schon, ab zu meinem Schreibtisch.«

Ich ging zum Schreibtisch und hatte Angst
wie noch nie in meinem Leben. Jetzt kam das
Ende meiner Zeit als süßer Junge. Ab heute würden mich alle als Tim den Unheimlichen kennen,
den Jungen mit dem Knollengesicht. Das war zu
viel. Ich schloss die Augen, damit ich nicht sehen
musste, was auf mich zukam.

Meine Ohren hörten einfach weiter und
lieferten Geräusche, die in meiner Fantasie zu
Bildern wurden. Hinter mir machte Marty immer
noch verächtliche Schnalzlaute, als ob ich ihn
im Stich gelassen hätte. Vor mir hörte ich, wie
Knolle in ihrer Schreibtischschublade herum-
wühlte. Wahrscheinlich wollte sie das Gewehr
laden und suchte eine richtig harte Knolle.

»Öffne die Augen!«, befahl sie.

»Nein«, stöhnte ich. »Ich kann nicht.«

»Mach schon, Tim Woodman. Sieh dir an, was
ich für dich habe!«

Ich holte tief Luft und öffnete die Augen. Aber
vor meinen Augen war nicht der Lauf einer
Knollenknarre, sondern ein blauer Leseausweis.

Hinter dem Ausweis war ihr Gesicht. Sie lächelte und ihre Zähne erinnerten mich nicht mehr an Eiszapfen. Sie sahen freundlich aus.

»Ein blauer Büchereiausweis«, sagte sie. »Blau heißt erwachsen. Blau heißt, du kannst dich in der Bücherei frei bewegen. Ich möchte nur, dass du mir alle Erwachsenenbücher zeigst, die du dir aussuchst, damit ich prüfen kann, ob sie für dich geeignet sind.«

Ich war verblüfft. Belohnte mich Knolle tatsächlich dafür, dass ich die Regeln gebrochen hatte?

»W-w-warum?«, stammelte ich.

Knolle lächelte wieder. Es stand ihrem Gesicht ganz gut.

»Weil du den Teppich verlassen hast, damit du an ein Buch kommst. Und nicht, weil du irgendeinen Unfug machen wolltest. Eine Bücherei ist für Bücher da, das vergesse sogar ich manchmal.«

Mannomann. Ich hatte rein zufällig etwas Gutes getan. Wenn das erst mal Mama erfahren würde.

Knolle zwinkerte mir zu. »Vielleicht wird es Zeit, dass ich die Kinderabteilung erweitere und diesen Teppich verschrotte.«

Ich dachte darüber nach.

»Vielleicht könnten Sie den Teppich ja liegen lassen, wo er ist. Aber nur als etwas zum Draufsitzen.«

Knolle streckte mir ihre Hand entgegen. »Abgemacht.«

Ich schüttelte ihre knochige Hand. Zwinkern und Händeschütteln? Vielleicht hatten ja Außerirdische die echte Bibliothekarin entführt und an ihrer Stelle diesen knollenförmigen Roboter zurückgelassen.

»Mrs Murphy, wo wir uns jetzt so gut verstehen, könnte ich da nicht Knolle zu Ihnen sagen?«

Die Bibliothekarin legte ihre freie Hand unter den Schreibtisch. Sie drehte an etwas, und was immer sie da unten hatte, fing leise an zu zischen.

»Probier es einfach mal, Woodman, dann wirst du ja sehen, was passiert.«

Ich wich langsam zurück.

»Vielleicht geh ich lieber zum Teppich und warte auf Mama.«

»Gute Idee.«

Ich weiß, was ihr jetzt denkt. Dass ich mich nach Martys widerlichem Benehmen außerhalb seiner Reichweite halten würde. Damit liegt ihr fast richtig. Ich blieb tatsächlich außerhalb seiner Reichweite, nämlich ungefähr fünfzehn Zentimeter von seinen Händen entfernt. Ich stellte mich einen Meter vom Teppich weg und wedelte

ihm mit dem blauen Leseausweis für Erwachsene
vor der Nase herum.

»Besorg mir ein Buch«, bettelte er.

»Nachdem du den miesen Trick mit Action-
Man abgezogen hast? Vergiss es!«

»Komm schon. Du kriegst auch die ganze Luft
in unserem Zimmer.«

»Na gut«, sagte ich und holte ihm aus der
Abteilung Liebesromane *Rosen im Herbst.*

»Nicht das!«, rief er, als er den Text auf dem Umschlag las. »Ich will kein Buch über eine Frau, die Penelope heißt.«

Ich war schon halb bei den Abenteuer-romanen und legte eine Hand um mein Ohr, als ob ich ihn nicht verstehen könnte, und er traute sich nicht zu schreien. Ein paar Minuten später hatte er schon zwanzig Seiten in dem Liebesroman gelesen.

Zehn nach vier hupte es draußen dreimal. Einmal lang, zweimal kurz. Unser Signal. Mama wartete auf uns. Wir suchten schnell ein Buch aus, das wir mit nach Hause nehmen wollten. Marty lieh sich *Rosen im Herbst* aus.

»Da wird viel mit Schwertern gekämpft«, sagte er, als Knolle das Buch stempelte.

Dann stempelte sie auch mein Buch. Meinen blauen Büchereiausweis steckte sie in einen kleinen Umschlag.

»Weißt du, Tim, da wir uns jetzt so gut verstehen, könntest du doch Angela zu mir sagen?«

Ich klemmte mir mein Buch unter den Arm.

»Bis Mittwoch, Angela«, sagte ich.

Knolle lächelte. »Bis Mittwoch, Tim.«

Und am Mittwoch kam ich wieder.

Eoin Colfer
Tim und das Geheimnis von Captain Crow
Roman
Mit Bildern von Tony Ross
Aus dem Englischen von Brigitte Jakobeit
Gebunden, 100 Seiten (79916)

Jeden Abend quält Marty seinen Bruder Tim mit Geschichten von dem
grausamsten Piraten aller Zeiten, Captain Crow. Der soll noch heute über
die Klippen geistern, auf der Suche nach einem neunjährigen
Schiffsjungen, der ihn vor 300 Jahren fürchterlich blamiert hat. Tim fühlt
sich sofort angesprochen und gruselt sich schrecklich – besonders, als er
eines Nachts allein über die Felsen gehen muss und plötzlich ein
markerschütternder Schrei ertönt.

»Fesselnde Literatur für junge Lesemuffel mit Humor – und alle,
die gute Bücher mögen.«
Hamburger Abendblatt über *Tim und das Geheimnis von Knolle Murphy*

Beltz & Gelberg
Beltz Verlag, Postfach 100154, 69441 Weinheim. www.beltz.de